KB035834

토드 선장과 죽음의 소행성

SEOUL, 2018

토드 선장과
죽음의 소행성

제인 욜런 글 · 브루스 데근 그림 · 박향주 옮김

시공주니어

그레이엄과
H. 로버츠에게

토드 선장과 죽음의 소행성

초판 제1쇄 발행일 1998년 11월 20일
개정1판 제1쇄 발행일 2003년 6월 10일
개정2판 제1쇄 발행일 2018년 3월 20일
개정2판 제9쇄 발행일 2022년 3월 20일
글 제인 욜런 그림 브루스 데근 옮김 박향주
발행인 박헌용, 윤호권 발행처 (주)시공사
주소 서울시 성동구 상원1길 22, 6-8층 (우편번호 04779)
대표전화 02-3486-6877 팩스(주문) 02-585-1247
홈페이지 www.sigongsa.com/www.sigongjunior.com

COMMANDER TOAD AND THE DIS-ASTEROID
written by Jane Yolen and illustrated by Bruce Degen

ISBN 978-89-527-8638-8 74840 ISBN 978-89-527-5579-7 (세트)

꾸준히 책을 읽는 타고난 독서꾼들인
비범한 앤드루 시걸,
엿보기의 명수 짐 맥도널드,
올챙이 이안 덩컨,
사마귀가 많은 데이비드 훌런,
충성스러운 두꺼비 브루스 코빌,
물갈퀴가 달린 것처럼 수영을 잘하는 리치 모리시,
유망한 기사 데이브 로크,
어린 깡총이 짐 마곤,
그리고 빅 호프너에게

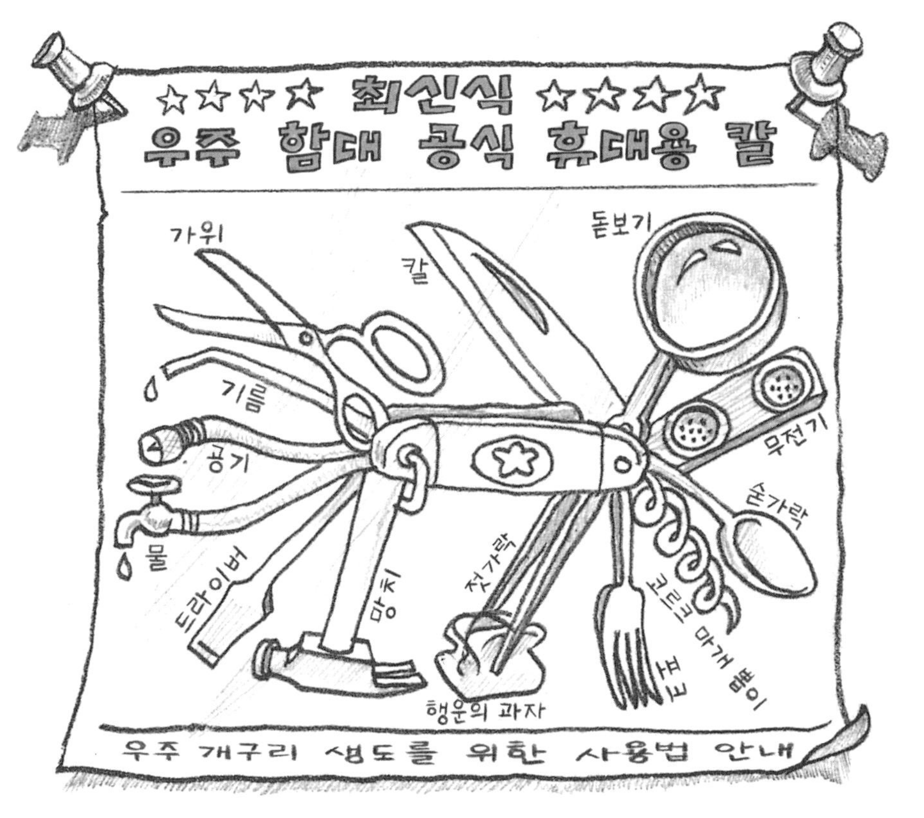

별똥들의 전쟁호
폴짝폴짝 우주선

기다란 초록색 우주선들이
별무리를 헤치며 날아갑니다.
은하계의 별 세상은
깜박깜박 눈웃음을 치지요.
그중에 우주선 하나,
가장 씩씩하고
가장 용감한 대원들의
무적 우주선!
우주선의 선장은
용감하고 지혜로운 선장!
지혜롭고 용감한 선장!
우주 함대의 영웅!
그 이름도 위대한
토드 선장!

'별똥들의 전쟁'호.

토드 선장이 이끄는

기다란 초록색 우주선의 이름입니다.

한 번도 가 본 적 없는

새 우주를 찾아라!

새 행성을 발견하라!

은하계를 탐험하라!

지구의 한 줌 흙을 외계로 가져가라!

토드 선장을 따르는 대원들은
모두 씩씩하고 용감합니다.
부조종사는 엄청생각 씨,
생각하고 또 생각하지요.
기관사는 나리 중위,
또드락 딱딱 여기저기
고치고 또 고치지요.
컴퓨터 박사는 막내 대원 공중제비,
컴퓨터 책을 읽고 또 읽지요.

의사는 가장 나이 많은 닥터꼼꼼 씨,
초록색 풀잎 가발을 쓰고 있어요.
닥터꼼꼼 씨가 할 일이 없다는 것은
모든 대원들이 폴짝팔짝
아주 건강하다는 얘기지요.

오늘의 임무는 간단합니다.
우주선이 우주 함대 기지를
막 출발하려고 할 때,
토드 선장이 대원들을
모두 불러 모았습니다.
"우주 함대에
S. O. S (에스-오-에스),
구조 요청이 들어왔다."
토드 선장이 말했습니다.

"화성과 목성 사이에 있는
어떤 별에 재난이
발생한 것으로
보인다.
그 별은 소행성이다."
"어떤 재난이죠?"
나리 중위가
손을 들고 질문했습니다.

"확실하지는 않다.
편지 내용이 좀 이상하단 말이야.
엄청생각 씨, 한번 읽어 보도록."
엄청생각 씨는 목청을 가다듬어
'고로록' 소리를 없애고는
편지를 읽었습니다.
"도움! 도움!
콩 퉁퉁.
콩 나빠."

"그게 무슨 뜻입니까?"
듣고 있던 막내 공중제비가
머리를 긁적거리며 물었어요.
"그 별의 콩 씨앗들이
매우 좋은 상태인데도
싹이 트지 않는다는
뜻인 것 같군."
엄청생각 씨가 대답했습니다.

"우주 함대 본부에서
제일 좋은 통통한 콩들을
새로 가져다주라는
지시를 내렸다."
토드 선장이 말했어요.
공중제비는 컴퓨터로
콩의 목록을 살펴보았습니다.
"우주선에 싣고 갈 콩들을
확인해 주십시오."

대원들은 목록을 읽어 내려갔어요.

강낭콩,

검정콩,

노랑콩,

뜀뛰기콩,

뜀박질콩,

젤리콩,

줄줄이콩,

초록콩.

"모두 통통하고 좋은 콩이군."

닥터꼼꼼 씨가 말했어요.

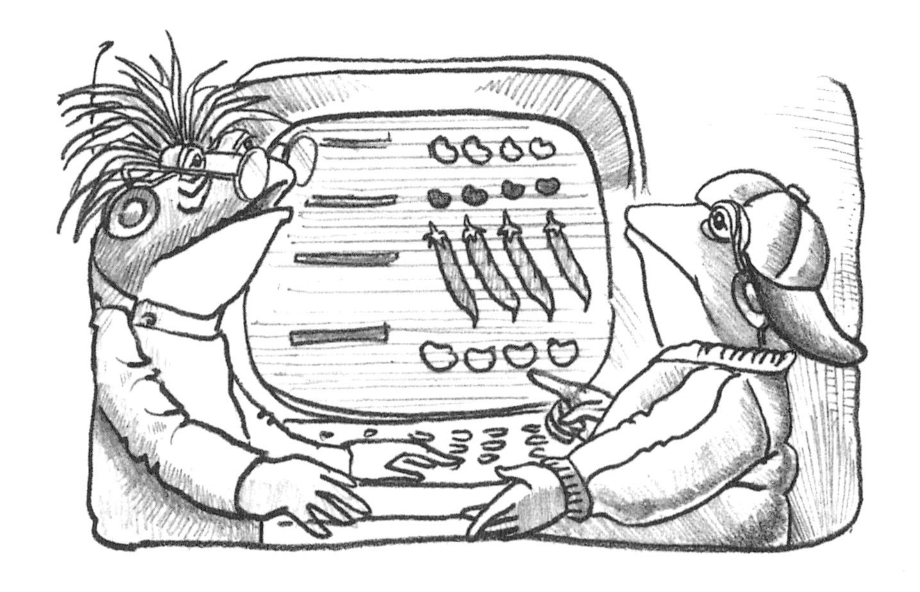

토드 선장은
화면에 희미하게 나타난
소행성 지도를 가리키며 말했습니다.
"우리가 이 소행성에 사는
착한 외계인들에게
콩을 가져다주지 않으면
이 소행성은 죽음의 소행성이
되고 말 것이다.
우리는 최대한 빨리
그곳에 가야 한다."

대원들은 재빨리 자기 위치로
폴짝폴짝 뛰어갔습니다.
나리 중위는 우주선의 엔진을
가장 빠른 속도에 맞추고요.
엄청생각 씨는 길을 정하고
우주선을 조종하지요.
막내 공중제비는
컴퓨터를 점검하고요.
닥터꼼꼼 씨는
대원들 모두를 보살피지요.

그러면 토드 선장은 무엇을 할까요?

저 드넓고 총총한 우주에

어떤 위험이 있는지

망원경으로 살핍니다.

누가 뭐래도

토드 선장은 영웅이니까요.

영웅의 할 일은

용감하고 지혜롭게,

지혜롭고 용감하게,

걱정해야 할 때를 아는 것입니다.

갑자기 우주선 바로 코앞에서
뭔가가 '딱!' 하고 지나갔습니다.
"모두들 놀라지 마라.
딱총별일 뿐이다.
조준을 잘 못 하니까
걱정할 것 없다."
토드 선장이 대원들을 안심시켰습니다.

우주선은 계속 날아갑니다.
갑자기 우주선 앞쪽에서
'음매애' 하는 소리가 들렸습니다.
"걱정할 것 없다.
달을 뛰어넘으며
놀고 있는 암소일 뿐이다.
그래서 우윳빛 은하수가
생기는 것이지."
토드 선장이 말했어요.

"아무도 걱정하지 않아요.
우리들의 영웅, 토드 선장님!
걱정할 때가 되면 알려 주시겠죠.
'이때다!' 하고 알려만 주세요."
대원들이 입을 모아 말했어요.
우주선은 계속 날아갑니다.
토드 선장이 아직
걱정하지 않기 때문입니다.
토드 선장은 밖을 살피느라
매우 바쁩니다.
너무나 열심히 살피다 보면
정작 위험이 눈앞에 닥쳤을 때는
알아채지 못할 수도 있지요.

부록

우주선 앞쪽 창문에

멋진 장면이 펼쳐졌습니다.

온 세상이 물에 잠겨 있었습니다.

큰길도 없고,

집도 없고,

버스 정류장도,

헛간도 없었어요.

보이는 것은 온통 물뿐이었습니다.

물 위로 수천 마리의 비둘기가

'구구' 울며 날아다녔어요.

"참 아름다운 별이군."

토드 선장이 말하자,

공중제비가 지도를 들고

폴짝폴짝 뛰어왔습니다.

"아름다운 별이 아니에요.

저 별이 우리가 찾아가고 있는

죽음의 소행성입니다.

바다 같아서는 안 되는 곳이죠.

고가도로 아래에는

큰길도 있고

골목길도 있어야 한다고요."

엄청생각 씨는 곰곰이 생각하더니
마침내 입을 열었습니다.
"홍수가 나서 온통 물에 잠겼군.
그래서 여기서 사는 비둘기족이
내려앉을 땅마저 없어져 버린 거야."
토드 선장은 다시 밖을 내다보았습니다.
그제야 토드 선장도
깨달은 것 같습니다.
"저 가엾은 비둘기들이
얼마나 오랫동안 날고 있었을까?"

닥터꼼꼼 씨도 창밖을 내다보며
중얼거렸습니다.
"날개가 많이 아프겠군.
증상도 여러 가지일 것 같은데?"
닥터꼼꼼 씨는 구급상자에서
붕대와 부목을 꺼냈습니다.

토드 선장이 손을 들고
말했습니다.
“탐사선을 타고 내려가
물에 잠긴 소행성을
조사합시다.”

나리 중위,

엄청생각 씨,

그리고 토드 선장은

우주복을 챙겨 입고

탐사선에 올라탔습니다.

그런 다음

아래로, 아래로, 아래로, 아래로

저 밑의 물을 향해 내려갔습니다.

삼각모를 쓰고
멋진 띠를 두른
커다란 비둘기 한 마리가
탐사선에 내려앉았습니다.
"경례! 환영!
여러분, 선장님.
나 비둘기 시장.
넌 누구?"
시장 비둘기가 말했습니다.

“안녕! 넌 누구?”
토드 선장은 얼떨결에 대답하고는
엄청생각 씨에게 물어보았습니다.
“이 비둘기의 말은 구조를 요청한
편지만큼이나 알 수가 없군.
도대체 무슨 뜻이지?”
“인사한 것 같은데요.”
엄청생각 씨가 대답했습니다.

"우리 말한다.

어서 옴.

우주의 대리석."

비둘기가 다시 말했습니다.

"이건 또 무슨 말이지?"

토드 선장이 다시 물었어요.

"'어서 오십시오'라고 한 것 같습니다."

엄청생각 씨가 대답했지요.

"왜 저렇게 이상하게 말을 하죠?"
나리 중위도 물었습니다.
"시장 비둘기는 비둘기말을 합니다.
우리가 두꺼비말을 하는 것처럼요.
시장 비둘기는 우리말을
잘 못 합니다.

그래서 시장 비둘기가
우리에게 이야기할 때는
비둘기말과 우리말의
중간쯤 되는 말을 하는 겁니다.
비둘기-두꺼비말이라고나 할까요?"
엄청생각 씨가 설명해 주었어요.

"도움!"

또다시 시장 비둘기가 말했습니다.

"지금 한 말은 무슨 뜻이지요?"

나리 중위가 묻자

엄청생각 씨가 통역했어요.

"도와주세요!"

"걱정하지 마시오."
토드 선장이 시장 비둘기를
위로했습니다.
"나는 영웅이오.
도와주려고 왔소.
우리는 통통한 새 콩을
가득 싣고 왔소.

강낭콩,

검정콩,

노랑콩,

뜀뛰기콩,

뜀박질콩,

젤리콩,

줄줄이콩,

초록콩.

모두 우주 함대에서 보낸 것이오."

"모든 콩, 통통."

시장 비둘기가 다시 말했습니다.

"그렇소, 모두 통통하고

좋은 콩이오."

토드 선장이 대답했지요.

시장 비둘기가 답답한 듯 다시 말했어요.
"아니, 아니라니까, 콩 퉁퉁."
토드 선장이 다시 맞장구를 쳤지요.
"그래요, 매우 통통해요."
이번에는 시장 비둘기가
비명을 지르듯 말했어요.
"퉁퉁 불어 빵빵."
시장 비둘기는 화가 난 듯
날개를 퍼덕거리고, 머리를 흔들고
꼬리 깃털도 뽑아 댔어요.

"대체 뭐라는 거지?"
토드 선장이 어쩔 줄 몰라
엄청생각 씨에게 물어보았어요.
"콩이 불었다는 말 아닐까요?"
"아, 퉁퉁 불었다?"
나리 중위가 고개를 끄덕였어요.

“그러니까 콩이 물에 잠기면
퉁퉁 불어 커다래지지요.”
엄청생각 씨가 설명했습니다.
“아, 콩이 불었다고!”
그제야 토드 선장도 알아들었습니다.

토드 선장은 시장 비둘기를 돌아보며
양팔을 크게, 더 크게,
벌리고 말했습니다.
"퉁퉁 불었다고요?"

비둘기 시장은

걱정스러운 표정으로 설명했어요.

"비 옴.

콩 퉁퉁.

마개 만듦.

하수구 막음.

우리 날음.

헤엄 안됨.

도움 보냄.

물 그대로.

우리 감.

위로 오름.

날개 아픔.

도움."

"다 알아들었소?"

토드 선장이

엄청생각 씨를 보며 물었어요.

초록색 얼굴의 엄청생각 씨는

머리를 긁적거리며

곰곰이 생각에 잠겼습니다.

도와주세요
시청

“이 소행성에는
빗물이 빠져나가는
하수구가 많이 있습니다.
지금 그 하수구들이 몽땅
퉁퉁 불어 버린 콩 때문에
꽉 막혀 있어요.
시장 비둘기는
이 소행성에 홍수가 나기 전에
도움을 요청했습니다.
그러나 우주 함대는
비둘기-두꺼비말을
이해하지 못했어요.

우주 함대에서 편지 내용을
잘못 해석한 겁니다.
비둘기족에게 필요한 것은
콩이 아니라 영웅이었어요.
물속 깊이 헤엄쳐 들어가
하수구를 막고 있는
퉁퉁 불은 콩들을
잘게 터뜨려,
물이 빠지게 할 수 있는
영웅 말입니다."

토드 선장은
물갈퀴 달린 발을
살폈습니다.
휴대용 칼도 점검했습니다.
코도 풀었지요.
“걱정되시는 것 같네요.”
나리 중위가 말하자,
“그러게, 좀 걱정스럽다네.”
토드 선장이 대답했어요.

토드 선장은
숨을 깊이 들이쉬고, 코를 꼭 쥔 채
탐사선에서 뛰어내렸습니다.
선장은 출렁이는 물속으로
아래로, 아래로, 아래로, 아래로
잠수해 들어갔습니다.
물속은 차가웠습니다.
작은 물고기들이
건물 사이로, 나무 사이로,
동상들의 머리 위로,
그리고 길을 따라서
헤엄치고 있었습니다.

토드 선장은 계속해서
길을 따라 헤엄쳐 갔습니다.
하늘에 떠 있는 열기구처럼
크게 부풀어 오른 콩들이
모여 있었습니다.

토드 선장은
우주 함대 공식 휴대용 칼을 꺼내
콩 하나하나에 구멍을 뚫었습니다.
'쉬이이이이익!'
공기가 빠져나가자
콩들이 납작해졌습니다.

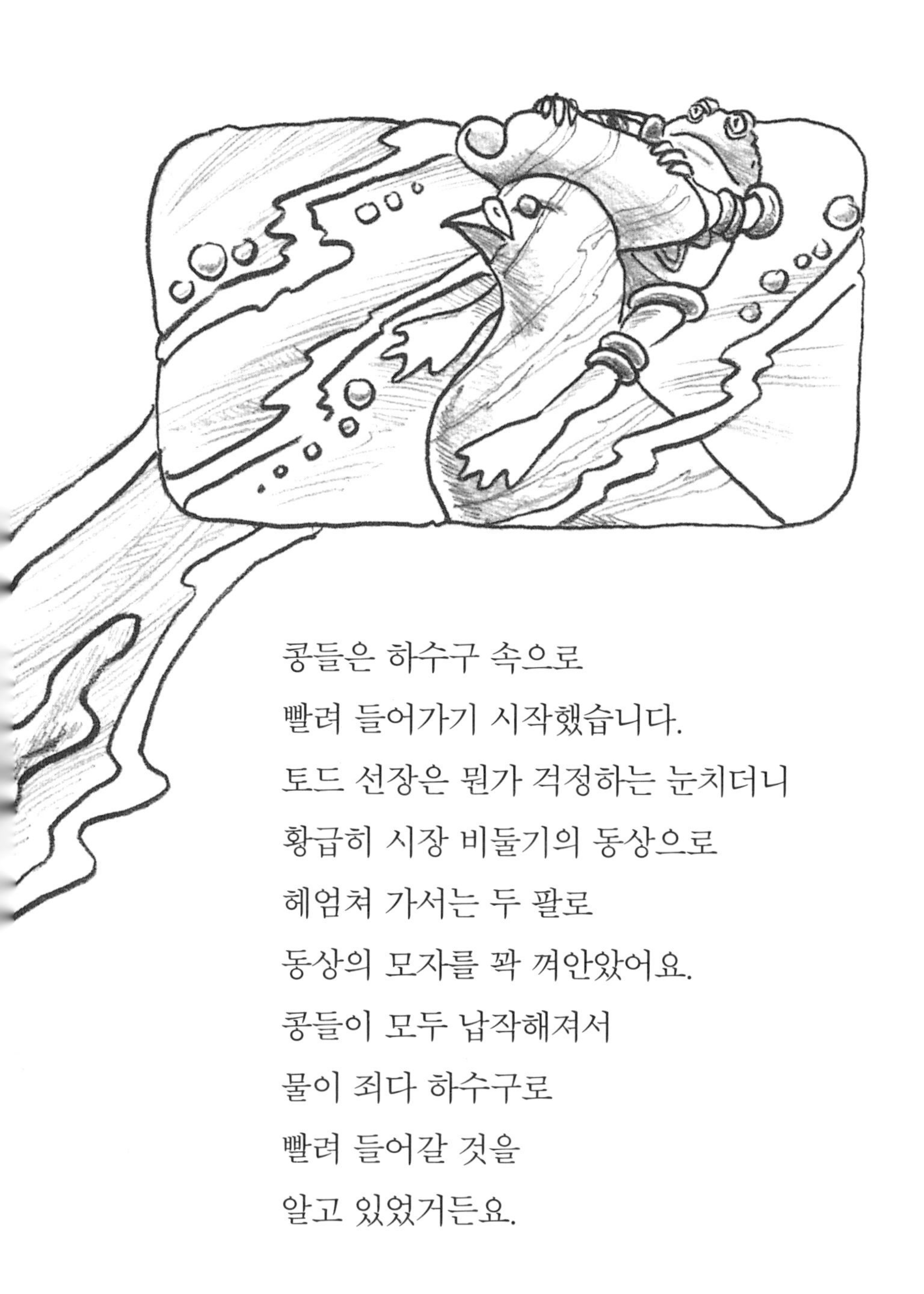

콩들은 하수구 속으로
빨려 들어가기 시작했습니다.
토드 선장은 뭔가 걱정하는 눈치더니
황급히 시장 비둘기의 동상으로
헤엄쳐 가서는 두 팔로
동상의 모자를 꽉 껴안았어요.
콩들이 모두 납작해져서
물이 죄다 하수구로
빨려 들어갈 것을
알고 있었거든요.

물이 빠르게, 더 빠르게,
아주 빠르게 빨려 들어갑니다.
못으로 박아 놓지 않은 것들은
죄다 하수구로 떠내려갑니다.

바구니와 손수레가 떠내려갑니다.
병과 가방도 떠내려갑니다.
마차도, 소파도, 책상 의자도
길을 따라 떠내려가다
소용돌이치며
하수구 속으로 사라졌습니다.

드디어 토드 선장의 머리가
물 밖으로 드러났습니다.
배와 발도 보였습니다.
물이 다 빠지고 난 다음에 보니
동상은 아주 높았습니다.
동상 꼭대기에 매달린 선장은
땅으로 내려올 수가 없었어요.
탐사선이 없으면 날지를 못하니까요.
"휴우, 영웅 되기 진짜 어렵네.
정말 걱정되는걸?"
토드 선장은 혼자 중얼거렸습니다.

토드 선장은

도와 달라고 소리쳤습니다.

시장 비둘기가 날아왔습니다.

"말아요 걱정 선장 구구."

시장 비둘기가

동상에 매달린 토드 선장을

부리로 물어 올려 살며시

땅에 내려놓았습니다.

"영웅은 걱정하지 않소.
다만 다른 이들이 언제 걱정해야
하는지를 알려 줄 뿐이오."
토드 선장이 말했습니다.
"선장 영웅 진짜."
시장 비둘기가 칭찬했어요.
나리 중위와 엄청생각 씨도
잠시 쉬기 위해 탐사선을
착륙시켰습니다.

"하지만 우리가 가져온
저 많은 종류의 콩은 어쩌지요?"
나리 중위가 걱정스레 묻자
시장 비둘기가 대답했어요.
"필요함 딱 한 종류 이 별에."
엄청생각 씨가 다시 물었어요.
"그게 무슨 종류지요?"
"당신네들 같은 류, 양서류!"
시장 비둘기는 날개로 다리를 치며
깔깔 웃었습니다.

"양서류라는 콩이오?
우리의 콩 목록에는 없소."
토드 선장이 말했습니다.
그러자 시장 비둘기가 날개 끝으로
토드 선장을 가리켰어요.
발가락 사이에 달린 물갈퀴와
그 옆에 있는 물웅덩이를요.
시장 비둘기는 다시
"양서류."
하고 말했어요.
"아하! 동물의 종류를 말하는 거군요."
그제야 엄청생각 씨가 알아들었습니다.

"개구리와 두꺼비는 양서류에 속하지요.
우리처럼 물속과 땅 위 모두
자유롭게 다닐 수 있는 동물을
바로 '양서류'라고 합니다."
"양서류라! 거 좋지요.
물에 잠겨도 부풀어 오르지 않으니까요."
토드 선장이 웃으며 말했습니다.
시장 비둘기는 토드 선장에게
깃털로 만든 훈장을
달아 주었습니다.

"와요 자주 많이."

시장 비둘기가 말했습니다.

"오고말고요.

콩을 더 많이 심지만 않는다면요."

토드 선장이 대답했지요.

"내년 시금치.

말아요 걱정 영웅.

오세요 또 다음에."

시장 비둘기가 작별 인사를 했어요.

토드 선장과 시장 비둘기는
영웅식으로 포옹하고
영웅식으로 경례했습니다.
용감하고 지혜로운,
지혜롭고 용감한 토드 선장이
탐사선에 올랐습니다.
탐사선이 우주선으로 되돌아갑니다.
"안녕!"
토드 선장은 비둘기들에게
소리쳐 인사했어요.
"정말 재미있었어요!"
모두들 한마디씩 했습니다.

"이제 이 콩들을 어떻게 하지?"

토드 선장이 걱정했어요.

대원들은 마침내

기다란 초록색 우주선에

올라탔습니다.

우주선은 저 멀리 우주 속으로,

이 별에서 저 별로,

저 별에서 또 다른 별로

드넓은 은하계를

폴짝폴짝 누비고 다닙니다.